Al circo!

Italiano per bambini

di Begoña Beutelspacher

Al circo!
Italiano per bambini

Ha collaborato Antonio Bidetti

Illustrazioni
Anke Jessen, S. Scurlis (Edilingua)

© Ernst Klett Sprachen GmbH, Stoccarda 2003
Tutti i diritti sono riservati per tutti i paesi

Edizione con glossario
© edizioni EDILINGUA 2004
Moroianni 65 12133 Atene
Tel. +30-210-57.33.900
fax: +30-210-57.58.903
www.edilingua.it
info@edilingua.it

I.S.B.N.: 960-7706-77-3

Premessa

Vi diamo il benvenuto con il nostro nuovo libro per imparare l'italiano. Sicuramente sarete d'accordo con noi che il contatto precoce dei bambini con una lingua straniera offre loro un passaporto per il mondo. L'apprendimento di una lingua, oltre ad essere una necessità nella nostra società attuale, intrapreso in età precoce amplia la competenza linguistica nella lingua madre e favorisce lo sviluppo cognitivo, sociale, sensoriale e motorio dei piccoli.

Al circo! è un'opera dedicata all'apprendimento della lingua italiana per bambini di età compresa tra i sei e i dieci anni. L'obiettivo di *Al circo!* è che i bambini imparino le loro prime frasi in italiano con naturalezza, tramite giochi, drammatizzazioni, poesie, canzoni ed esercizi di lettura e scrittura molto semplici. I bambini sono introdotti in situazioni comunicative che richiamano i loro interessi, la loro curiosità, il loro mondo. Attività che rispettano il loro ritmo personale e che destano il loro interesse per una cultura diversa.

Tramite una storia incentrata sui personaggi del circo, i bambini impareranno a presentarsi, a salutare e il vocabolario relativo agli animali, ai numeri, alla famiglia, ai colori, agli alimenti, ai vestiti, al corpo e alla natura. Abbiamo scelto il circo perché attrae tutti i bambini e perché è un mondo che con i suoi protagonisti: pagliacci, maghi, trapezisti e così via, non ha confini. Tutto è possibile al circo! Inoltre, al circo convivono persone molto diverse tra loro: di diverse nazionalità, che hanno lingua e cultura differenti e che quindi possono aiutare i piccoli scolari ad ampliare la loro visione del mondo.

Il libro è suddiviso in dieci unità, ognuna con il titolo relativo al contenuto: presentazione, gli animali, i numeri, la famiglia, i colori, gli alimenti, i vestiti, il corpo, la natura e il ripasso. Il libro è facile da usare sia per i bambini che per l'insegnante.

Nella prima pagina appare il programma del circo, sul cartellone che la bambina ha appena affisso; a destra della pagina è incluso l'indice con i simboli, i colori e le pagine corrispondenti.

Ogni capitolo si riconosce facilmente dal colore e dal simbolo, che appaiono nella parte superiore delle pagine. Per esempio: i palloncini e il colore rosso per la lezione relativa ai colori o un gelato e il colore verde per la lezione relativa agli alimenti.

Ogni lezione comprende sei pagine e viene introdotta da una pagina illustrata; i numeri delle pagine sono dati sia in cifre che in lettere.

Ci sono tre simboli che ricorrono spesso nel libro:

la scimmietta Peppina con la matita, significa che ci sarà da fare un esercizio scritto;

la scimmietta Peppina con il pennello, significa che ci sarà un'attività per la quale è necessario colorare o disegnare;

il pellicano Zulù, significa che ci sarà un'attività di canto o drammatizzazione.

Gli inviti al dialogo sono posti in vignette in cui i diversi personaggi del libro ci invitano a parlare (a ripetere). Un Glossario plurilingue in Appendice (con la traduzione del vocabolo in francese, inglese e spagnolo) rappresenta un ulteriore momento di rinforzo o di verifica, in cui si cerca la conferma o la smentita alle ipotesi formulate, per lo stesso bambino che trova in esso anche un aiuto alla risoluzione di alcuni dubbi. Il Glossario vuole essere, inoltre, uno strumento nelle mani di quei genitori che seguono nello studio i propri bambini e uno strumento nelle mani dell'insegnante affinché possa risparmiare tempo in classe. Il Glossario rende **Al circo!** più flessibile e più facile da adattarsi a classi non del tutto omogenee. Naturalmente spetta all'insegnante consigliarne la consultazione prima o dopo lo svolgimento delle attività, consigliarne o meno l'utilizzo in classe e così via. I vocaboli e le espressioni sono registrati seguendo l'ordine del libro e, non essendo le singole unità autonome tra loro, i vocaboli e le espressioni già incontrati non vengono ripetuti a meno che ciò non pregiudichi la comprensione del contesto. I vocaboli sono contrassegnati in basso da un segno grafico, il tono, per facilitare la corretta pronuncia.

Pensiamo che per l'apprendimento di una lingua sia indispensabile la comunicazione e crediamo che stimolare i cinque sensi e l'attività motoria sia un ulteriore aiuto nel processo di apprendimento. Riteniamo dunque che la lingua debba essere intesa come mezzo e non come scopo e che i bambini debbano svolgere i loro compiti con l'aiuto di ciò che già conoscono. Scopriranno così che questo libro è pieno di attività, esercizi, canzoni, giochi (che magari conoscono già nella loro lingua) e immagini che non trascurano le loro esigenze ludiche.

I giochi soddisfano le necessità espressive e creative, tramite essi i bambini danno libero sfogo alle loro emozioni. Per questo i giochi sono una parte essenziale dell'insegnamento di una lingua per questa fascia d'età. Proponiamo giochi che favoriscono la cooperazione e non la competitività, il movimento del corpo e il coinvolgimento dei cinque sensi.

Al circo! comprende anche un CD o un'audiocassetta con 38 brani tra canzoncine, filastrocche e divertenti poesie. Nella Guida didattica, oltre ad essere riportata la trascrizione, viene ben spiegato come utilizzare al meglio i brani, molti dei quali sono stati inseriti per avere un piacevole sottofondo musicale durante le attività suggerite. È per questo che si è fatta la scelta di registrare alcune canzoncine nella loro versione originale con i regionalismi che le contraddistinguono, i quali vanno visti come una ricchezza linguistica e non come "errori grammaticali". Le canzoni in sé aiutano i bambini a memorizzare, ad acquisire la giusta pronuncia e intonazione. Le canzoni infantili fanno parte della cultura di ogni paese e, spesso, nel libro sono accompagnate da giochi o balli da realizzare in gruppo. Esse favoriscono l'elemento ludico e il concetto di gruppo. Nella Guida didattica l'insegnante può trovare, inoltre, utili suggerimenti, attività supplementari da svolgere e materiale integrativo fotocopiabile per arricchire la lezione e poter stimolare e motivare i bambini.

Gli esercizi appaiono di tanto in tanto. Per il loro svolgimento l'alunno userà strutture che ha già incontrato. In molti casi vengono personalizzati, per esempio: ora disegno e parlo della mia famiglia, oppure parlo della mia stagione preferita.

Buon lavoro!

Ecco il circo. Tutto è pronto.
"Venite, signore e signori, bambini e bambine, benvenuti al circo!"

Presentazione
Al circo!

E tu, come ti chiami? Scrivi il tuo nome e colora il disegno del bambino se sei un bambino, quello della bambina se sei una bambina.

Ciao, io mi chiamo

Ciao, io sono

bambina   bambino

Conosci tutti i tuoi compagni e le tue compagne? Come si chiamano?

edizioni
Edilingua

Presentazione
Al circo!

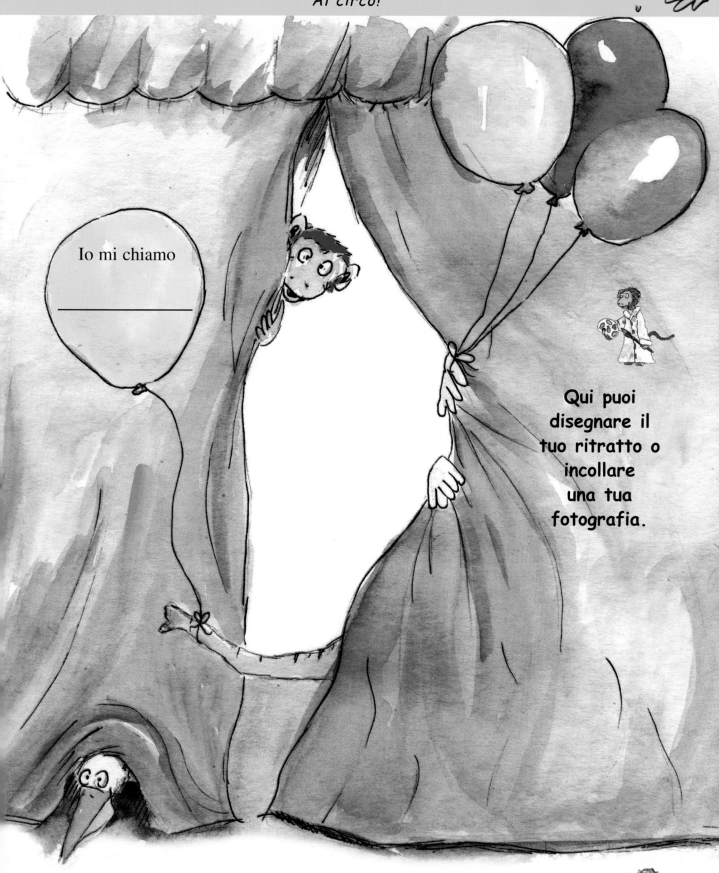

Io mi chiamo
_____

Qui puoi
disegnare il
tuo ritratto o
incollare
una tua
fotografia.

Il mio maestro / la mia maestra si chiama

_____

Presentazione
Al circo!

edizioni
Edilingua

Buongiorno!

Buonasera!　　　　**Arrivederci, buonanotte!**

Saluta tutti i tuoi amici e le tue amiche.

edizioni Edilingua

Presentazione

Al circo!

Cerca le lettere del tuo nome e colora i disegni.

_____

A aereo	B barca	C cioccolata	D drago
E elefante	F fantasma	G gelato	H hotel
I indiano	J judo	K ketchup	L leone
M mucca	N nido	O orso	P pappagallo
Q quaderno	R rana	S serpente	T topo
U uovo	V vagone	W windsurf	X xilofono
Y yo-yo	Z zebra		

edizioni
Edilingua

Presentazione

Al circo!

Con che lettera comincia?
Unisci i disegni alla lettera corrispondente.

O

S

F

A

D

E

L

Y

G

B

X

Francesca e Filippo hanno molti amici nel circo.
"Questa è la mia amica, la scimmia Peppina".

edizioni
Edilingua

Gli animali

Al circo!

Chi sono i tuoi amici e le tue amiche?
Scrivi e poi leggi i loro nomi al tuo maestro o alla tua maestra.

i miei amici   le mie amiche

Gli animali

Al circo!

Leggi quello che dice la zebra e completa il cruciverba.

1. tigre · 2. zebra · 3. cavallo · 4. orso · 5. gatto

2. Sono una zebra.

3. Sono un _____

4. Sono un _____

5. Sono un _____

1. Sono una _____

Gli animali

Al circo!

Disegna il tuo cane e il tuo gatto.
Trova i loro giocattoli.

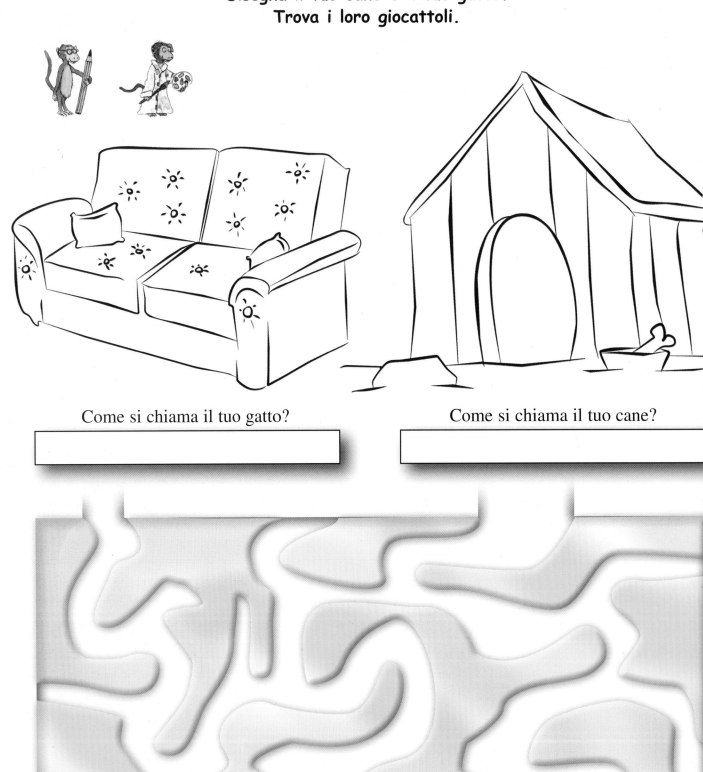

Come si chiama il tuo gatto?

Come si chiama il tuo cane?

Gli animali

Al circo!

**Guarda i disegni. Trova tre animali veloci e tre lenti.
Scrivi i loro nomi nelle due colonne e confronta il risultato
con il tuo compagno o la tua compagna.**

serpente

antilope

bruco

coniglio

tigre

lumaca

lenti	veloci

Gli animali
Al circo!

edizioni
Edilingua

**Disegna i tuoi animali preferiti e scrivi il loro nome.
Se non lo sai chiedi aiuto all'insegnante.**

Oggi è il compleanno di Francesca. È il 2 agosto.
Prima di cominciare lo spettacolo tutti cantano la canzone "Tanti auguri a te".

I numeri
Al circo!

Colora i numeri.

0 ZERO

1 UNO

2 DUE

3 TRE

4 QUATTRO

5 CINQUE

6 SEI

7 SETTE

8 OTTO

9 NOVE

10 DIECI

11 UNDICI

12 DODICI

13 TREDICI

14 QUATTORDICI

15 QUINDICI

**Trova il numero nascosto in ogni disegno
e confronta il risultato con il tuo compagno o la tua compagna.**

edizioni
Edilingua

I numeri
Al circo!

In ogni rigo è nascosto un numero. Dov'è?

6	D P S E I S O J K F S I
11	K L O K H N U N D I C I
5	O H I L O C I N Q U E H
15	Q I N K Q U I N D I C I
10	M D H I D I E C I R E Z
2	J O Z D U E I H A U F Z

Quanti gatti ci sono? Ci sono ...
Quante mucche ci sono? Ci sono ...

edizioni
Edilingua

I numeri

Al circo!

Per sapere come fa a volare Peppina, unisci i puntini.

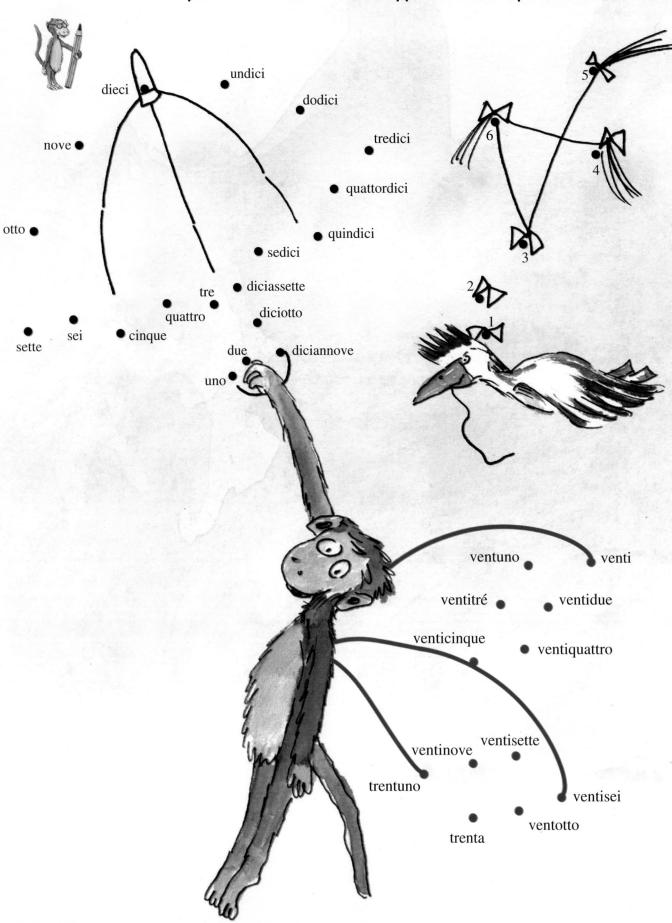

dieci
undici
dodici
nove
tredici
quattordici
otto
quindici
sedici
diciassette
tre
quattro
diciotto
sette
sei
cinque
due
diciannove
uno

5
6
4
3
2
1

ventuno
venti
ventitré
ventidue
venticinque
ventiquattro
ventinove
ventisette
trentuno
ventisei
trenta
ventotto

I numeri

Al circo!

**Il compleanno di Francesca è il due agosto.
E il tuo? Indica il giorno con un cerchietto sul calendario.**

GENNAIO

						1
2	3	4	5	6	7	8
9	10	11	12	13	14	15
16	17	18	19	20	21	22
23	24	25	26	27	28	29
30	31					

FEBBRAIO

	1	2	3	4	5
6	7	8	9	10	11	12
13	14	15	16	17	18	19
20	21	22	23	24	25	26
27	28

MARZO

	1	2	3	4	5
6	7	8	9	10	11	12
13	14	15	16	17	18	19
20	21	22	23	24	25	26
27	28	29	30	31

APRILE

					1	2
3	4	5	6	7	8	9
10	11	12	13	14	15	16
17	18	19	20	21	22	23
24	25	26	27	28	29	30

MAGGIO

1	2	3	4	5	6	7
8	9	10	11	12	13	14
15	16	17	18	19	20	21
22	23	24	25	26	27	28
29	30	31

GIUGNO

		1	2	3	4
5	6	7	8	9	10	11
12	13	14	15	16	17	18
19	20	21	22	23	24	25
26	27	28	29	30

LUGLIO

					1	2
3	4	5	6	7	8	9
10	11	12	13	14	15	16
17	18	19	20	21	22	23
24	25	26	27	28	29	30
31

AGOSTO

1	2	3	4	5	6
7	8	9	10	11	12	13
14	15	16	17	18	19	20
21	22	23	24	25	26	27
28	29	30	31

SETTEMBRE

				1	2	3
4	5	6	7	8	9	10
11	12	13	14	15	16	17
18	19	20	21	22	23	24
25	26	27	28	29	30

OTTOBRE

						1
2	3	4	5	6	7	8
9	10	11	12	13	14	15
16	17	18	19	20	21	22
23	24	25	26	27	28	29
30	31

NOVEMBRE

	1	2	3	4	5
6	7	8	9	10	11	12
13	14	15	16	17	18	19
20	21	22	23	24	25	26
27	28	29	30

DICEMBRE

					1	2	3
4	5	6	7	8	9	10
11	12	13	14	15	16	17
18	19	20	21	22	23	24
25	26	27	28	29	30	31

In quale mese siamo?

In quale mese è il tuo compleanno?

Quando è il
tuo compleanno?

Completa le frasi.

Il mio compleanno è il _____ _____

Chiedi a un bambino quando è il suo compleanno e scrivi la data.

_____

Quanti anni hai?
Disegna una torta con tante candeline quanti sono i tuoi anni.

Io ho otto anni.
E tu?

Disegna i regali che desideri per il tuo compleanno.
Chiedi al tuo maestro o alla tua maestra il nome delle parole che non conosci.
E il tuo amico che cosa vuole ricevere? E la tua amica?

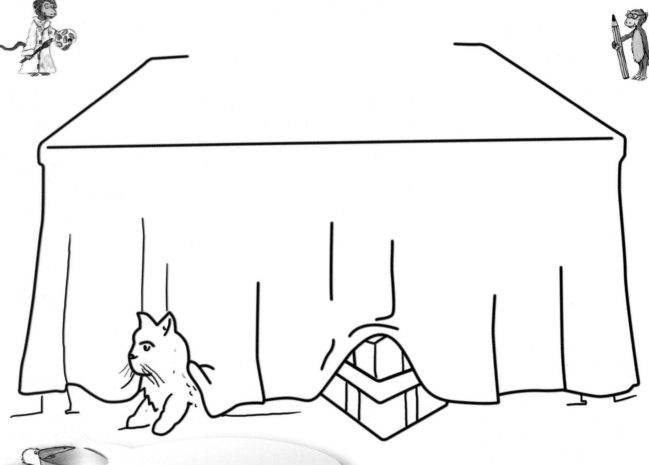

Come si dice … in italiano?

La festa comincia. La famiglia degli elefanti entra in pista.
"Benvenuti, signore e signori, bambine e bambini,
è qui con voi la famiglia degli elefanti africani".

Colora la famiglia dei leoni (papà leone, mamma leonessa, sorella leonessa e fratello leone) e la famiglia degli elefanti (nonno elefante e nonna elefantessa, papà elefante e mamma elefentessa, fratello elefante e sorella elefantessa) della pagina seguente.

Ritaglia le figure.

Incolla qui le due famiglie. Chi è ciascuno di loro?

edizioni
Edilingua

La famiglia

Al circo!

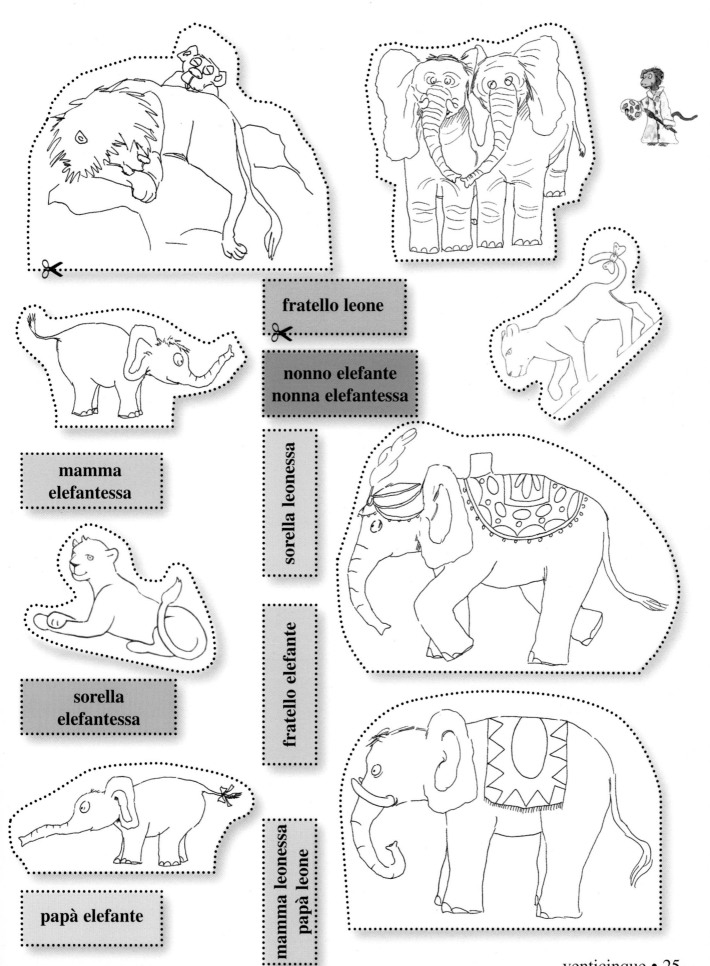

fratello leone

nonno elefante
nonna elefantessa

mamma
elefantessa

sorella leonessa

sorella
elefantessa

fratello elefante

mamma leonessa
papà leone

papà elefante

edizioni
Edilingua

La famiglia
Al circo!

Colora l'elefante. Cerca nel "minestrone di lettere" le seguenti parole:
fratello, sorella, papà, mamma, nonno e nonna.

```
H H E R P N O N N O R L
E P M A M M A B U L P N
M M N O N N A L K U M A
N U P A P A N H E B L S
F R A T E L L O O U H A
K A B U I L O S M A M P
L A M H E R M O D E P N
M M S O R E L L A K S U
```

Colora dello stesso colore le parole uguali.

La famiglia
Al circo!

Disegna la tua famiglia e spiega al tuo amico o alla tua amica chi è ciascuno.

Questa è la mia mamma. Questo è il mio papà.

La mia famiglia.

La mia mamma si chiama _____

_____

_____

_____

Ora presenta la tua famiglia alla classe.

Ora tocca ai pagliacci Colorini. Hanno tanti palloncini di vari colori:
rosso, verde, giallo, azzurro e li distribuiscono ai bambini. Ne vuoi uno?

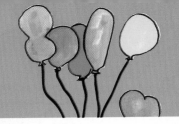

I colori
Al circo!

edizioni Edilingua

Di che colore?
Dipingi i colori dell'arcobaleno.

AZZURRO
VIOLA
ROSSO
ARANCIONE
GIALLO
VERDE

Il mio colore preferito
è il rosso. Qual è il tuo
colore preferito?

Disegna e colora un paesaggio con il cielo, il sole, un fiore, un'automobile,
una casa e l'erba ... Di che colore è la tua casa? Chiedi al tuo compagno o alla
tua compagna di che colore è la sua auto.

I colori

Al circo!

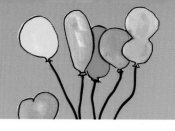

Colora il disegno.

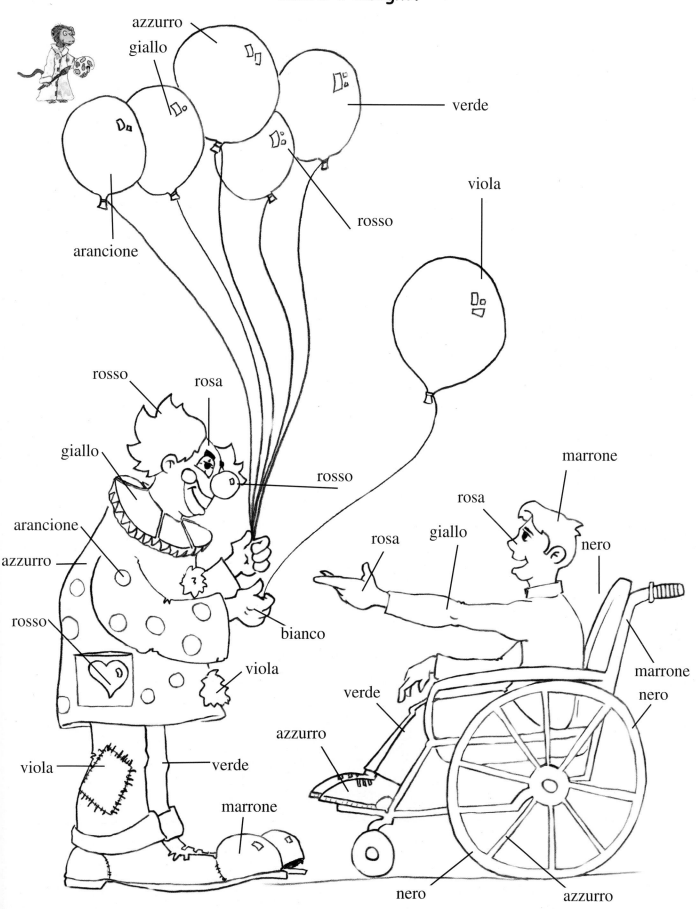

edizioni Edilingua

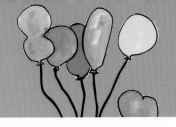

I colori

Al circo!

edizioni
Edilingua

Colora i palloncini dei pagliacci Colorini e chiedi al tuo amico o alla tua amica:
di che colore è il numero uno?

Di che colore è il numero 1?
È …

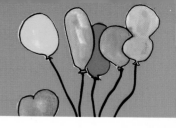

Impara la poesia a memoria.
Disegna e colora dei fiori con i colori indicati.

Il bianco e l'arancione
il giallo con il verde
il rosso ed il viola
e l'azzurro celestino.
Che bei colori
che hanno i fiori.

Di che colore è
la rosa? È …

Colora i disegni.

| rosa | pappagallo | limone |

| gatto | albero | cielo |

edizioni
Edilingua

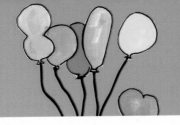

I colori

Al circo!

edizioni
Edilingua

Cerca nel "minestrone di lettere" i colori dell'arcobaleno.

```
G I A L L O M O A Z P L R
F E N E R P K J R O S S O
D L E H A Z Z U R R O J S
N A R O A R A N C I O N E
K V O D A P E H D W J P K
H E L A V E R D E P T F H
D R V I O L A L U Z D K O
```

Rispondi alle domande e completa il cruciverba.

1. Di che colore è la neve?
2. Di che colore è il pomodoro?
3. Di che colore è il sole?
4. Di che colore è il gatto?
5. Di che colore è il cielo?
6. Di che colore è l'erba?

Nel circo è possibile anche mangiare e bere durante la pausa.
"Popcorn, patatine, noccioline, limonata, succo d'arancia, gelati".

Gli alimenti

Al circo!

Ti piace? Ti piacciono?
Colora le cose che preferisci mangiare e bere.

la limonata	gli spaghetti	il latte	i popcorn

il succo d'arancia	la salsiccia	le mele	il miele

le patatine	il formaggio	il tè	le noccioline

 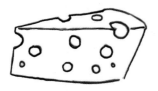  

le banane	la cioccolata	le uova	i limoni

l'acqua	le pere

Confronta con un tuo compagno o una tua compagna.

A me piace …
A me piacciono …

edizioni
Edilingua

Gli alimenti

Al circo!

Disegna un gelato al gusto di cioccolato, fragola e vaniglia.

E a te? Che gelato piace?

Mi piace il gelato al _____

Pensa e disegna tre cose che ti piacciono. Come si chiamano in italiano?	Pensa e disegna tre cose che non ti piacciono. Come si chiamano in italiano?
SÌ	NO

Scegli una cosa che ti piace. I compagni che sono d'accordo con te si alzano in piedi e dicono:

Scegli una cosa che non ti piace. I compagni che sono d'accordo con te si alzano in piedi e dicono:

Anche a me.

Neanche a me.

Gli alimenti

Al circo!

Colora gli spazi delle bevande e scopri una cosa. Che cosa?

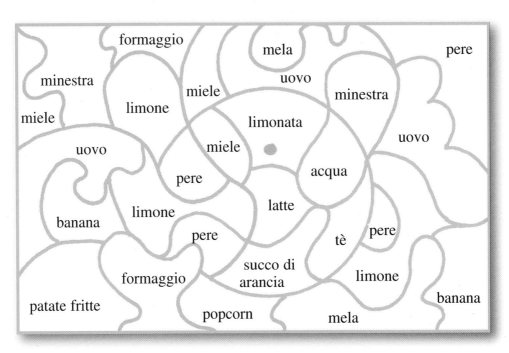

formaggio

mela

pere

minestra

uovo

miele

minestra

miele

limone

limonata

uovo

miele

uovo

miele

acqua

pere

limone

latte

banana

pere

tè

pere

formaggio

succo di
arancia

limone

banana

patate fritte

popcorn

mela

Completa il cruciverba.

Chiedi a un tuo amico o a una tua amica:

Ti piace ...?
Ti piacciono ...?

Gli alimenti

Al circo!

Colora i giorni della settimana. Che giorno è oggi?
Disegna il tuo piatto preferito per oggi e per domenica e scrivi il loro nome.

lunedì

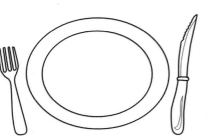

martedì

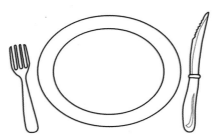

mercoledì

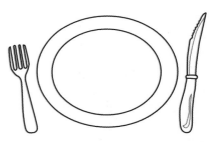

giovedì

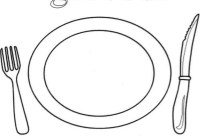

venerdì

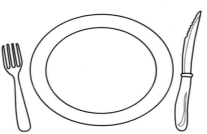

sabato

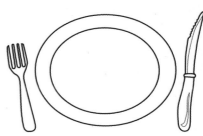

domenica

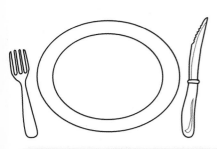

Come si dice … in italiano?

 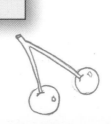  

Gli alimenti

Al circo!

I giorni della settimana.

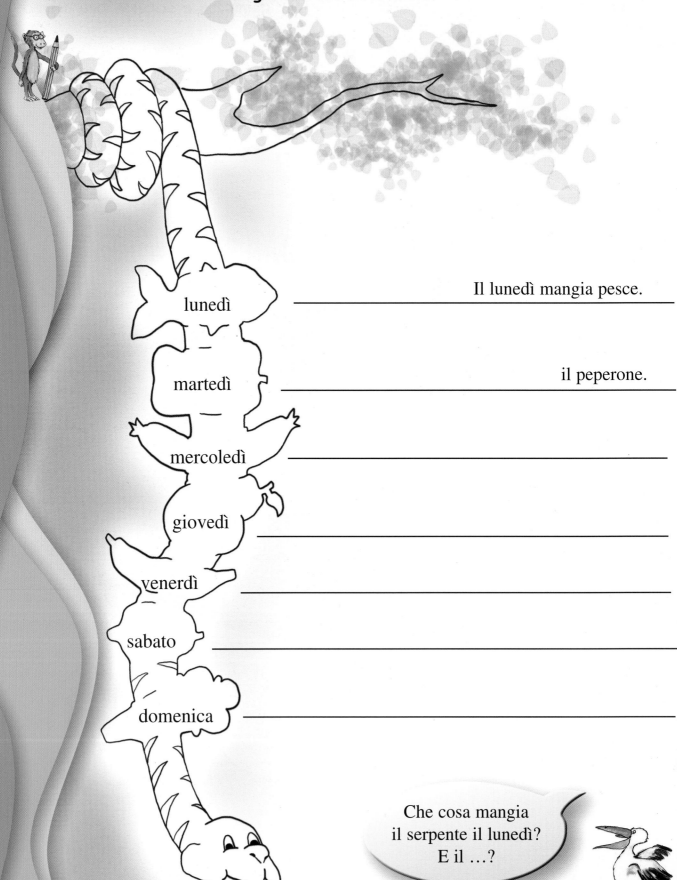

lunedì

martedì

mercoledì

giovedì

venerdì

sabato

domenica

Il lunedì mangia pesce.

il peperone.

Che cosa mangia
il serpente il lunedì?
E il …?

Tocca a Filippo con il suo monociclo. Filippo si veste per cominciare
il suo numero. "Dove sono i miei pantaloni?"

I vestiti

Al circo!

Colora.

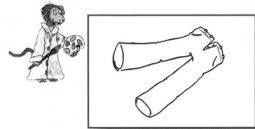

pantaloni

pullover

calzini

scarpe

maglietta

gonna

Trova queste parole nel "minestrone di lettere" e colora.

C	P	U	L	L	O	V	E	R
A	A	Z	S	C	A	R	P	E
L	N	M	A	P	A	K	O	K
Z	T	A	E	S	I	T	A	L
I	A	G	N	T	A	N	O	P
N	L	L	M	G	O	F	N	A
I	O	I	L	D	A	F	F	F
N	N	E	U	M	U	G	M	M
E	I	T	E	R	S	Y	U	N
S	S	T	J	E	B	S	E	Y
J	E	A	Y	L				
J	U	M	L	O				
Z	B	J	O					

Che cosa c'è
nell'armadio?
C'è / Ci sono …

I vestiti

Al circo!

Giochiamo a bingo. Scegli quattro caselle e fai il disegno suggerito.
Il maestro o la maestra nomina a caso gli indumenti. Indica con una X
l'indumento nominato. Il primo che completa le quattro caselle dice: Bingo!

calzini rossi	pantaloni blu	camicetta rossa	scarpe verdi
gonna verde	calzini azzurri	magliette rosse	pullover azzurro
gonne gialle	gonna azzurra	pantaloni verdi	maglietta arancione

edizioni
Edilingua

I vestiti
Al circo!

Come sei vestito/a oggi? Disegna, colora e scrivi i vestiti che indossi.

Io oggi indosso _____

**Descrivi come è vestito uno dei tuoi compagni.
Gli altri indovinano chi è.**

Indossa…

I vestiti

Al circo!

Arrivano le vacanze! Indica che cosa puoi mettere in valigia.

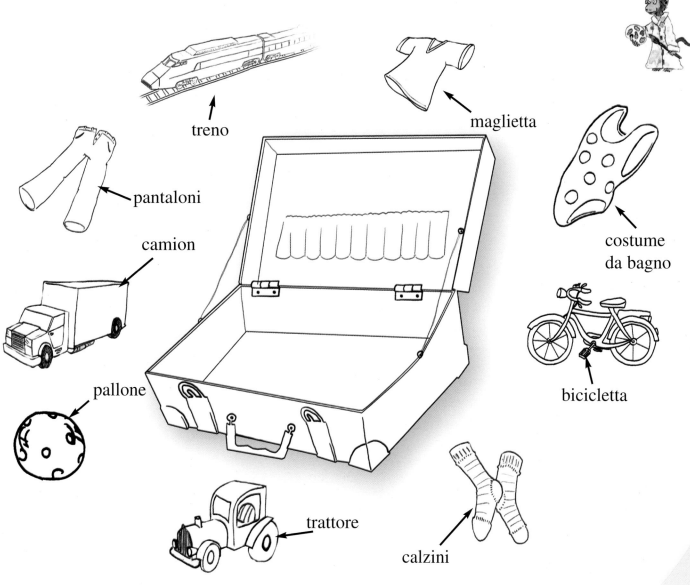

treno

maglietta

pantaloni

costume
da bagno

camion

bicicletta

pallone

calzini

trattore

Per giocare tra di voi:

Nella mia valigia c'è
una maglietta rossa.

Nella mia valigia ci sono
una maglietta rossa e
un costume da bagno rosso.

Nella mia valigia c'è …

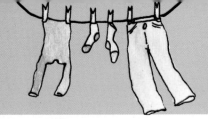

I vestiti
Al circo!

VACANZE!

Vado in Messico.
In aereo.

Dove vai e come?

**Completa il cruciverba per sapere
con che cosa partirà Filippo.**

Comincia il numero di Francesca. "Ecco a voi la grande equilibrista Francesca".
Ohhh, cade da cavallo! Che paura! Per fortuna non è grave.

Il corpo
Al circo!

Colora le parole delle parti del corpo.

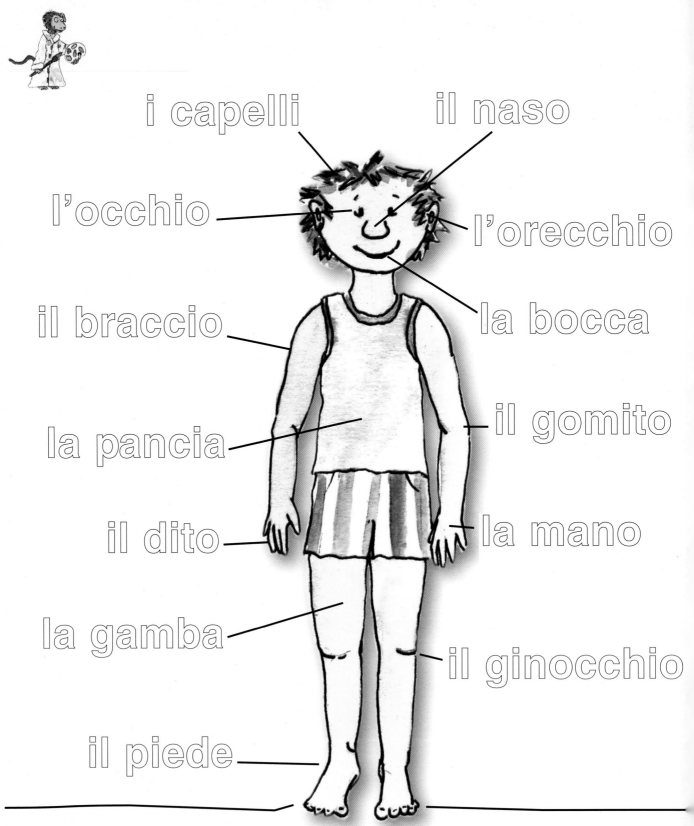

i capelli

il naso

l'occhio

l'orecchio

il braccio

la bocca

il gomito

la pancia

il dito

la mano

la gamba

il ginocchio

il piede

Sono alta 1,60 m.
E tu quanto sei alto / alta?

1,60	un metro e sessanta
1,50	un metro e cinquanta
1,40	un metro e quaranta
1,30	un metro e trenta
1,20	un metro e venti
1,10	un metro e dieci
1,00	un metro
90	novanta centimetri
80	ottanta centimetri
70	settanta centimetri

**Con l'aiuto del tuo maestro o della tua maestra misura
e indica la tua altezza.
Completa la frase.**

Il giorno _____ sono alto / alta un metro e _____ .

E il tuo compagno o la tua compagna?

Disegna al pagliaccio un grande naso rosso, una bocca rotonda e grandi orecchie.
Di che colore sono gli occhi e i capelli?

Disegna una persona che conosci.
Racconta al tuo compagno o alla tua compagna chi è,
come si chiama, quanto è alta, quanti anni ha.

Il corpo

Al circo!

Giochiamo:

Uno di voi è Simone. Simone mima un'azione e tutti lo imitiamo, però attenzione!
Lo facciamo solo quando la frase incomincia con "Simone dice ..." altrimenti
siamo eliminati. L'ultima persona eliminata sarà il prossimo Simone.

Simone dice:
"alzare le mani".

Simone dice:
"toccarsi i capelli".

Simone dice:
"toccarsi il naso".

Completa il cruciverba con le parti del corpo.

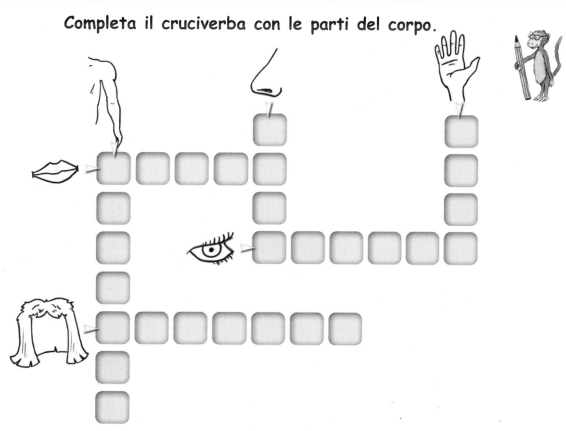

Il corpo
Al circo!

Sono uguali Adriano e Giuseppe?
Descrivi le parti del corpo che sono diverse tra i due.

Adriano ha la bocca grande e Giuseppe ha la bocca piccola.

Adriano   Giuseppe

GLOSSARIO

italiano	français	english	español

Al circo! | Au cirque! | To the circus! | Al circo!

Prima pagina | Première page | First page | Primera página

Ecco il circo	Le cirque est là	The circus is here	El circo está aquí
con	avec	with	con
un programma straordinario	un programme extraordinaire	an amazing show	un programa extraordinario
presentazione	présentation	saying hello	presentación
gli animali del circo	les animaux du cirque	the circus animals	los animales del circo
del	du	of	del
il compleanno di	l'anniversaire de	(someone)'s birthday	el cumpleaños de
la famiglia	la famille	the family	la familia
i pagliacci	les clowns	the clowns	los payasos
pausa	entracte	interval	pausa
il giocoliere	le jongleur	the juggler	el malabarista
la grande equilibrista	la grande équilibriste	the great acrobat	la gran equilibrista
chiusura	adieu	goodbye	despedida
Questo libro appartiene a...	Ce livre est à...	This book belongs to...	Este libro es de...

Indice | Contenu | Contents | Índice

Italiano per bambini	Italien pour enfants	Italian for children	Italiano para niños
i numeri	les nombres	numbers	los números
i colori	les couleurs	colours	los colores
gli alimenti	les aliments	food	los alimentos
i vestiti	les vêtements	clothes	la ropa
il corpo	le corps	the body	el cuerpo
la natura	la nature	nature	la naturaleza
ripassiamo	révisions	revision	vamos a repasar

Pagina introduttiva | Page d'introduction | Opening page | Página de introducción
(capitolo giallo) | (chapitre jaune) | (yellow chapter) | (capítulo amarillo)

biglietti	billets	tickets	entradas
Tutto è pronto.	Tout est préparé.	Everything is ready.	Todo está preparado.
venite	entrez	enter	pasen
signore	mesdames	ladies	señoras
e	et	and	y
signori	messieurs	gentlemen	señores
bambine	filles	girls	niñas
benvenuti	bienvenus	welcome	bienvenidos

Pagina 6 | Page 6 | Page 6 | Página 6

ciao	salut	hello	hola
come ti chiami?	comment tu t'appelles?	what's your name?	¿cómo te llamas?
io mi chiamo...	je m'appelle...	my name is...	yo me llamo...
io sono...	je suis...	I'm...	soy...
E tu	Et toi	And you	Y tú
scrivi il tuo nome	écris ton nom	write your name	escribe tu nombre
il nome	le nom	the name	el nombre
colora	colorie	colour	colorea
il disegno	le dessin	the picture	el dibujo
se sei	si tu es	if you are	según seas
un bambino	un garçon	a boy	un niño
quello	celui	the one	el de
della	de la	of the	de la
una bambina	une fille	a girl	una niña
conosci...?	tu connais...?	do you know...?	¿conoces...?

italiano	français	english	español
tutti	tous	all	todos
i tuoi compagni	tes copains	your (boy) friends	tus compañeros
le tue compagne	tes copines	your (girl) friends	tus compañeras
Come si chiamano?	Comment ils s'appellent?	What are their names?	¿Cómo se llaman?

Pagina 7 / Page 7 / Page 7 / Página 7

italiano	français	english	español
qui	ici	here	aquí
puoi	tu peux	you can	puedes
disegnare il tuo ritratto	te dessiner	draw a picture of yourself	dibujarte
o	ou bien	or	o
incollare	coller	to stick	pegar
una tua fotografia	une photo de toi	a photo of yourself	una foto tuya
il mio maestro/la mia maestra si chiama...	mon maître/maîtresse s'appelle	my teacher's name is...	mi profesor/profesora se llama...

Pagina 8 / Page 8 / Page 8 / Página 8

italiano	français	english	español
buongiorno!	salut! / bonjour!	hello! / good morning!	¡Hola, buenos días!
buonasera!	bonsoir!	good evening!	¡Buenas tardes!
arrivederci!	au revoir!	goodbye!	¡Hasta luego / adios!
buonanotte!	bonne nuit!	good night!	¡Buenas noches!
saluta	salue	say hello / goodbye	saluda
i tuoi amici e le tue amiche	tes copains et copines	your friends	tus amigos y amigas
a domani	à demain	see you tomorrow	hasta mañana

Pagina 9 / Page 9 / Page 9 / Página 9

italiano	français	english	español
cerca le lettere	cherche les lettres	find the letters	busca las letras
i disegni	les dessins	the drawings	los dibujos

Pagina 10 / Page 10 / Page 10 / Página 10

italiano	français	english	español
Con che lettera comincia?	Par quelle lettre est-ce que ça commence?	Which letter does it start with?	¿Con qué letra empieza?
Unisci i disegni alla lettera corrispondente.	Relie chaque dessin avec la lettre correspondante.	Match each drawing to the corresponding letter.	Une los dibujos con la letra correspondiente.

Pagina introduttiva / Page d'introduction / Opening page / Página de introducción

italiano	français	english	español
(capitolo arancione)	(chapitre orange)	(orange chapter)	(capítulo anaranjado)
hanno	ils ont	they have	tienen
molti	beaucoup de	lots of	muchos
nel	au	at the	en el
questa è la mia amica	voilà ma copine	this is my friend	esta es mi amiga
la scimmia	le singe	the monkey	el mono

Pagina 12 / Page 12 / Page 12 / Página 12

italiano	français	english	español
Chi sono...?	Qui sont...?	Who are...?	¿Quiénes son...?
e poi	et ensuite	and then	y después
leggi	lis	read	lee
i loro	leurs	their	sus
i miei amici	mes amis	my (boy) friends	mis amigos
le mie amiche	mes amies	my (girl) friends	mis amigas

Pagina 13 / Page 13 / Page 13 / Página 13

italiano	français	english	español
quello che dice (...)	ce que dit (...)	what (...) says	lo que dice (...)
la zebra	le zèbre	the zebra	la cebra
completa	complète	complete	completa

italiano	français	english	español
il cruciverba	les mots croisés	the crossword	el crucigrama
la tigre	le tigre	the tiger	el tigre
il cavallo	le cheval	the horse	el caballo
l'orso	l'ours	the bear	el oso
il gatto	le chat	the cat	el gato

Pagina 14	**Page 14**	**Page 14**	**Página 14**
il cane	le chien	the dog	el perro
trova	trouve	find	encontra
i loro giocattoli	leurs jouets	their toys	sus juguetes

Pagina 15	**Page 15**	**Page 15**	**Página 15**
guarda	regarde	look	mira
tre	trois	three	tres
veloci	rapides	fast	rápidos
lenti	lents	slow	lentos
Scrivi (...) nelle colonne	Écris (...) dans les colonnes	Write (...) in the columns	Escribe (...) en la columnas
confronta	compare	compare	compara
il risultato	le résultat	the result	el resultado
il serpente	le serpent	the snake	la serpiente
l'antilope	l'antilope	the antilope	el antílope
il bruco	la chenille	the caterpillar	el gusano
il coniglio	le lapin	the rabbit	el conejo
la lumaca	l'escargot	the snail	el caracol

Pagina 16	**Page 16**	**Page 16**	**Página 16**
Disegna i tuoi animali preferiti.	Dessine tes animaux préférés.	Draw your favourite animals.	Dibuja tus animales favoritos.
Se non lo sai chiedi aiuto all'insegnante.	Si tu ne le sais pas demande à ton professeur de t'aider.	If you don't know ask your teacher to help you.	Si no lo sabes pide ayuda a tu profesor.

Pagina introduttiva (capitolo lilla)	**Page d'introduction** (chapitre lilla)	**Opening Page** (lilac chapter)	**Página de introducción** (capítulo lila)
oggi	aujourd'hui	today	hoy
è il 2 agosto	c'est le deux août	it's the second of August	es el dos de agosto
prima di	avant de	before	antes de
cominciare	commencer	to start	empezar
lo spettacolo	la représentation/le spectacle	the show	la función
tutti cantano	tout le monde chante	everyone sings	todos cantan
la canzone	la chanson	the song	la canción
"Tanti auguri a te"	"Joyeux anniversaire"	"Happy birthday"	"Cumpleaños feliz"

Pagina 18	**Page 18**	**Page 18**	**Página 18**
il numero nascosto	le nombre caché	the hidden number	el número que se esconde
in ogni	dans chaque	in each	en cada

Pagina 19	**Page 19**	**Page 19**	**Página 19**
rigo	ligne	row	línea
è nascosto	est caché	is hidden	se ha escondido
Dov'è?	Oú est?	Where is?	¿Dónde está?
Quanti ... ci sono?	Combien de ... y a-t-il?	How many ... are there?	¿Cuántos ... hay?
Quante ... ci sono?	Combien de ... y a-t-il?	How many ... are there?	¿Cuántas ... hay?
le mucche	les vaches	the cows	las vacas

italiano	français	english	español
Pagina 20	**Page 20**	**Page 20**	**Página 20**
per sapere	pour savoir	to know	para saber
come fa a volare	comment il fait pour voler	how it can fly	cómo el vuela
unisci i puntini	relie les points	join the dots	une los puntos
sedici	seize	sixteen	dieciséis
diciassette	dix-sept	seventeen	diecisiete
diciotto	dix-huit	eighteen	dieciocho
diciannove	dix-neuf	nineteen	diecinueve
venti	vingt	twenty	veinte
ventuno	vingt et un	twenty-one	veintiuno
ventidue	vingt-deux	twenty-two	veintidós
ventitré	vingt-trois	twenty-three	veintitrés
ventiquattro	vingt-quatre	twenty-four	veinticuatro
venticinque	vingt-cinq	twenty-five	veinticinco
ventisei	vingt-six	twenty-six	veintiséis
ventisette	ving-sept	twenty-seven	veintisiete
ventotto	vingt-huit	twenty-eight	veintiocho
ventinove	vingt-neuf	twenty-nine	veintinueve
trenta	trente	thirty	treinta
trentuno	trente et un	thirty-one	treinta y uno

italiano	français	english	español
Pagina 21	**Page 21**	**Page 21**	**Página 21**
Indica il giorno con un cerchietto sul calendario.	Marque le jour avec un petit cercle sur le calendrier.	Mark the day with a circle on the calender.	Indica el día con un círculo en el calendario.
In quale mese siamo?	En quel mois sommes-nous?	What month is it?	¿En qué mes estamos?
Quando è il tuo compleanno?	Quel jour est ton anniversaire?	When is your birthday?	¿Cuándo es tu cumpleaños?
le frasi	les phrases	the sentences	las frasesi
chiedi a un bambino	demande à un enfant	ask one child	pregunta a un niño
la data	la date	the date	la fecha

italiano	français	english	español
Pagina 22	**Page 22**	**Page 22**	**Página 22**
Quanti anni hai?	Tu as quel âge?	How old are you?	¿Cuántos años tienes?
una torta	un gâteau	a cake	una tarta
tante ... quanti ...	autant de ... que ...	as many ... as ...	tantas ... como ...
candeline	bougies	candles	velas
Io ho otto anni.	J'ai huit ans.	I'm eight.	Yo tengo ocho años.
i regali	les cadeaux	the presents	los regalos
che desideri	que tu souhaites	that you wish	que quieres
le parole che non conosci	les mots que tu ne connais pas	the words that you don't know	las palabras que no conozcas
che cosa vuole ricevere?	qu'est-ce qu'il souhaite recevoir?	what would he like to get?	¿Qué quiere recibir?
Come si dice ... in italiano?	Comment dit-on ... en italien?	How do you say ... in italian?	¿Cómo se dice ... en italiano?

italiano	français	english	español
Pagina introduttiva (capitolo viola)	**Page d'introduction** (chapitre mauve)	**Opening page** (violet chapter)	**Página de introducción** (capítulo violeta)
la festa comincia	la représentation commence	the show begins	empieza la función
entra in pista	entre en piste	enters the ring	sale a la pista
è qui con voi ...	place à ...	and here is ...	con ustedes ...
gli elefanti africani	les éléphants d'Afrique	the elephants from Africa	los elefantes de África

italiano	français	english	español
Pagina 24	**Page 24**	**Page 24**	**Página 24**
i leoni	les lions	the lions	los leones
papà	papa	daddy	papá
mamma leonessa	maman lion	mummy lion	mamá leona
sorella	soeur	sister	hermana

italiano	français	english	español
fratello	frère	brother	hermano
nonno	papy	grandpa	abuelo
nonna elefantessa	mamie éléphant	grandma elephant	abuela elefante
nella pagina seguente	à la page suivante	on the next page	de la página siguiente
ritaglia le figure	découpe les images	cut out the pictures	recórta las imagenes
incolla qui	colle ici	stick here	pega aquí
Chi è ciascuno di loro?	Qui est chacun d'entre eux?	Who's each of them?	¿Quién es cada uno de ellos?

Pagina 27 / **Page 27** / **Page 27** / **Página 27**

italiano	français	english	español
cerca nel "minestrone di lettere"	cherche dans la "salade de mots"	find in the wordsearch	busca en la "sopa de letras"
le seguenti parole	les mots suivants	the following words	las siguientes palabras
lo stesso colore	la même couleur	the same colour	el mismo color
le parole uguali	les mêmes mots	the same words	las mismas palabras

Pagina 28 / **Page 28** / **Page 28** / **Página 28**

italiano	français	english	español
spiega chi è ciascuno	explique qui est chacun d'entre eux	explain who is each of them	explica quién es cada uno
questa/questo è ...	voilà ma/mon ...	this is my ...	esta/este es ...
ora	maintenant	now	ahora
presenta	présente	introduce	presenta

Pagina introduttiva / **Page d'introduction** / **Opening page** / **Página de introducción**
(capitolo rosso) / (chapitre rouge) / (red chapter) / (capítulo rojo)

italiano	français	english	español
Ora tocca ai pagliacci	C'est le tour des clowns	Now the clowns are on	Es el turno de los payasos
palloncini di vari colori	ballons de toutes les couleurs	balloons in every colour	globos de muchos colores
rosso	rouge	red	rojo
verde	vert	green	verde
giallo	jaune	yellow	amarillo
azzurro	bleu clair (ciel)	light blue	azul
li distribuiscono	ils les distribuent	they´re giving them	los reparten
Ne vuoi uno?	Tu en veux un?	Would you like one?	¿Quieres uno?

Pagina 30 / **Page 30** / **Page 30** / **Página 30**

italiano	français	english	español
dipingi	colorie	colour	pinta
l'arcobaleno	l'arc-en-ciel	the rainbow	el arcoiris
qual è ... ?	quel/quelle est ...?	what's ...?	¿cuál es ...?
un paesaggio	un paysage	a landscape	un paisaje
il cielo	le ciel	the sky	el cielo
il sole	le soleil	the sun	el sol
un fiore	une fleur	a flower	una flor
un'automobile	une voiture	a car	un coche
una casa	une maison	a house	una casa
l'erba	l'herbe	the grass	la hierba
la sua auto	son auto	his car	su coche

Pagina 31 / **Page 31** / **Page 31** / **Página 31**

italiano	français	english	español
rosa	rose	pink	rosa
marrone	marron	brown	marrón
bianco	blanc	white	blanco
nero	noir	black	negro

Pagina 33 / **Page 33** / **Page 33** / **Página 33**

italiano	français	english	español
Impara la poesia a memoria.	Apprend le poème par coeur.	Learn the poem by heart.	Aprende el poema de memoria.

italiano	français	english	español
celestino	bleu pâle	pale blue	celeste
bei colori	jolies couleurs	pretty colours	bonitos colores
Colora dei fiori con i colori indicati.	Colorie des fleurs avec les couleurs indiquées.	Draw the flowers in the colours which are marked.	Colorea las flores con los colores indicados.

Pagina 34	**Page 34**	**Page 34**	**Página 34**
rispondi alle domande	réponds aux questions	answer the questions	contesta a las preguntas
la neve	la neige	the snow	la nieve
il pomodoro	la tomate	the tomato	el tomate

Pagina introduttiva (capitolo verde)	**Page d'introduction** (chapitre vert)	**Opening page** (green chapter)	**Página de introducción** (capítulo verde)
è possibile anche mangiare e bere	on peut aussi manger et boire	you can also eat and drink	se puede también beber y comer
durante la pausa	pendant l'entracte	during the interval	en el descanso
patatine	chips	crisps	patatas
noccioline	cacahuètes	peanuts	cacahuetes
limonata	limonade	lemonade	limonada
succo d'arancia	jus d'orange	orange juice	zumo de naranja
gelati	glaces	ice-cream	helados

Pagina 36	**Page 36**	**Page 36**	**Página 36**
ti piace/piacciono?	tu aimes?	do you like it/them?	¿te gusta/gustan?
le cose che preferisci	les choses que tu préfères	the things you prefer	las cosas que prefieres
a me piace/piacciono	moi, j'aime	I like	a mí me gusta/gustan

Pagina 37	**Page 37**	**Page 37**	**Página 37**
un gelato al gusto di ...	une glace au parfum de ...	an ice-cream with a ... flavour	un helado de ...
fragola	fraise	strawberry	fresa
vaniglia	vanille	vanilla	vainilla
E a te? Che gelato piace?	Et toi? Quelle sorte de glace aimes-tu?	And you? What sort of ice-cream do you like?	¿Y a ti? ¿Qué helado te gusta?
Mi piace il gelato al/alla ...	J'aime la glace au/á la ...	I like ... ice-cream	Me gusta el helado de ...
pensa e disegna tre cose	pense à trois choses et dessine-les	think of three things and draw them	piensa en tres cosas y dibújalas
che non ti piacciono	que tu n'aimes pas	you don't like	que no te gustan
si, no	oui, non	yes, no	sí, no
scegli	choisis	choose	elige
i compagni che sono d'accordo	les copains qui sont d'accord	friends who agree	los compañeros que están de acuerdo
si alzano in piedi e dicono...	se lèvent et disent...	stand up and say...	se levantan y dicen...
anche a me	moi aussi	me too	a mí también
neanche a me	moi non plus	me neither	a mí tampoco

Pagina 38	**Page 38**	**Page 38**	**Página 38**
gli spazi	les cases	the spaces	los espacios
scopri una cosa	découvre une chose	guess one thing	descubre una cosa
Che cosa?	Qu'est-ce que c'est?	What is it?	¿Qué es?
minestra	soupe	soup	sopa

Pagina 39	**Page 39**	**Page 39**	**Página 39**
i giorni della settimana	les jours de la semaine	the days of the week	los días de la semana
Che giorno è oggi?	Quel jour on est aujourd'hui?	What day is it today?	¿Qué día es hoy?
il piatto	le repas	the meal	la comida
lunedì	lundi	monday	lunes
martedì	mardi	tuesday	martes

italiano	français	english	español
mercoledì	mercredi	wednesday	miércoles
giovedì	jeudi	thursday	jueves
venerdì	vendredi	friday	viernes
sabato	samedi	saturday	sábado
domenica	dimanche	sunday	domingo

Pagina 40	**Page 40**	**Page 40**	**Página 40**
mangia pesce	il mange du poisson	it eats fish	come pescado
il peperone	le poivron	the pepper	el pimiento

Pagina introduttiva	**Page d'introduction**	**Opening page**	**Página de introducción**
(capitolo azzurro)	(chapitre bleu clair)	(light blue chapter)	(capítulo azul claro)
tocca a ...	c'est le tour de ...	it's ...'s turn	le toca a ...
monociclo	monocycle	monocycle	monocicleta
si veste	il s'habille	he's getting dressed	se viste
il numero	la représentation/numéro	the show	la función
dove...?	où...?	where...?	¿dónde...?
i miei pantaloni	mon pantalon	my trousers	mis pantalones

Pagina 42	**Page 42**	**Page 42**	**Página 42**
che cosa c'è nell'armadio?	qu'est-ce qu'il y a dans l'armoire?	what's in the closet?	¿qué hay en el armario?
c'è/ci sono	il y a	there is/are	hay

Pagina 43	**Page 43**	**Page 43**	**Página 43**
giochiamo a bingo	jouons au bingo	let's play bingo	vamos a jugar al bingo
scegli quattro caselle	choisis quatre cases	choose four squares	elige cuatro casillas
fai il disegno suggerito	fais le dessin demandé	draw the requested picture	haz el dibujo sugerido
nomina	il/elle nome	he/she calls the names of	nombra
a caso	au hasard	at random	al azar
gli indumenti	les vêtements	clothes	las prendas
indica con una x	mets une croix	put a cross	marca con una cruz
l'indumento nominato	le vêtement indiqué	the indicated piece of clothing	la prenda nombrada
il primo che completa	le premier à avoir complété	the first one to complete	el primero que tiene las cuatro casillas

Pagina 44	**Page 44**	**Page 44**	**Página 44**
Come sei vestito/a oggi?	Comment es-tu habillé/e aujourd'hui?	What are you wearing today?	¿Cómo estás vestido/a hoy?
i vestiti che indossi	les vêtements que tu portes	the clothes you're wearing	la ropa que tu llevas
Io oggi indosso...	Moi, aujourd'hui, je porte...	Today I'm wearing...	Hoy yo llevo...
come è vestito	comment il est habillé	what he is wearing	lo que lleva puesto
uno dei tuoi compagni	un de tes copains ou copines	one of your friends	alguien de tus compañeros
gli altri	les autres	the others	los demás
indovinano chi è	ils devinent qui c'est	they guess who he/she is	adivinan quién es

Pagina 45	**Page 45**	**Page 45**	**Página 45**
Arrivano le vacanze!	On part en vacances!	You're going on holiday!	¡¡Vacaciones!!
Che cosa puoi mettere in valigia?	Qu'est-ce qu'on peut mettre dans la valise?	What can you put in the suitcase?	¿Qué puedes meter en la maleta?
la valigia	la valise	the suitcase	la maleta
per giocare tra di voi	pour jouer tous ensemble	let's play together	para jugar entre todos

italiano	français	english	español
Pagina 46	**Page 46**	**Page 46**	**Página 46**
vado in...	je vais en...	I'm going to...	voy a...
in aereo	en avion	by airplane	en avión
Dove vai e come?	Où vas-tu et comment?	Where are going? And how?	¿A dónde vas? ¿Cómo?
Pagina introduttiva	**Page d'introduction**	**Opening page**	**Página de introducción**
(capitolo rosa)	(chapitre rose)	(pink chapter)	(capítulo rosa)
comincia il numero	la représentation commence	the show begins	empieza la actuación
Ecco a voi...	Devant vous...	Here we have...	Con ustedes...
cade da cavallo!	elle tombe de cheval!	she has fallen off her horse!	¡se cae del caballo!
Che paura!	Quelle frayeur!	What a shock!	¡Qué susto!
per fortuna	heureusement	luckily	por suerte
non è grave	ce n'est pas grave	it's not serious	no es grave
Pagina 48	**Page 48**	**Page 48**	**Página 48**
le parti del corpo	les parties du corps	the parts of the body	las partes del cuerpo
Pagina 49	**Page 49**	**Page 49**	**Página 49**
sono alta 1,60 m.	je mesure 1,60 m.	I'm 1,60m tall	mido 1,60 m.
quanto sei alto/alta?	tu mesures combien?	how tall are you?	¿y tú cuánto mides?
misura e indica la tua altezza	mesure et indique ta taille	measure and mark your height	mide e indica tu altura
Pagina 50	**Page 50**	**Page 50**	**Página 50**
bocca rotonda	bouche ronde	round mouth	boca redonda
grandi orecchie	grandes oreilles	big ears	orejas grandes
una persona che conosci	une personne que tu connais	a person you know	una persona que conoces
Pagina 51	**Page 51**	**Page 51**	**Página 51**
uno di voi	quelqu'un de vous	one of you	una persona es
mima un'azione	il mime une action	he imitates an action	describe una acción
tutti lo imitiamo	tout le monde l'imite	we all imitate him	todos lo imitamos
però attenzione!	mais attention!	but, pay attention!	pero, ¡cuidado!
lo facciamo solo quando...	on le fait seulement si...	do what he says only if...	sólo lo hacemos cuando...
la frase incomincia con...	la phrase commence par...	the sentence starts with...	la frase empieza por...
altrimenti	sinon	otherwise	si no
siamo eliminati	on est éliminé	you're out	estamos eliminados
ultima persona	dernière personne	last person	última persona
sarà il prossimo	sera le prochain	will be the next	será el próximo
alzare	lever	put up	levantar
toccarsi	se toucher	touch	tocarse
Pagina 52	**Page 52**	**Page 52**	**Página 52**
Sono uguali...?	... sont pareils?	Are ... the same?	¿Sin iguales...?
diverse	différentes	different	diferentes
Pagina introduttiva	**Page d'introduction**	**Opening page**	**Página de introducción**
(capitolo blu)	(chapitre bleu)	(blue chapter)	(capítulo azul marino)
lo spettacolo finisce	le spectacle est terminée	the show is over	la función termina
il pubblico applaude	le public applaudit	the audience claps	el público aplaude
gli artisti salutano	les artistes prennent congé	the artists take a bow	los artistas se despiden
la gente va a casa	les gens rentrent à la maison	the people go home	la gente se va a casa
È una bellissima notte d'estate	C'est une belle nuit d'été	it's a beautiful summer night	es una noche preciosa de verano
le stelle e la luna	les étoiles et la lune	the stars and the moon	las estrellas y la luna
splendono in cielo	brillent dans le ciel	are shining in the sky	brillan en el cielo

italiano	français	english	español
Pagina 54	**Page 54**	**Page 54**	**Página 54**
Che cosa è tipico di ...?	Qu'est-ce qui est typique de...?	What's typical for ...?	¿Qué es típico de ...?
Rispondi secondo l'esempio.	Répond en suivant l'exemple.	Answer as shown in the example.	Contesta según el ejemplo.
la primavera	le printemps	spring	la primavera
l'autunno	l'automne	autumn/fall	el otoño
l'inverno	l'hiver	winter	el invierno
l'estate	l'été	summer	el verano
la spiaggia	la plage	the beach	la playa
le foglie	les feuilles	the leaves	las hojas
Pagina 55	**Page 55**	**Page 55**	**Página 55**
abbina	relie	link	relaciona
la stagione	la saison	the season	la estación
fa bel tempo	il fait beau	it's nice weather	hace buen tiempo
fa caldo	il fait chaud	it's hot	hace calor
tira vento	il y a du vent	it's windy	hace viento
	il fait froid	it's cold	hace frío
	pluie	rain	lluvia
	Page 56	**Page 56**	**Página 56**
	Fais un dessin	Draw a picture	Haz un dibujo
	Page 57	**Page 57**	**Página 57**
gli anni in...?	ton anniversaire est en...?	is your birthday in...?	¿cumples años en...?
	janvier	January	enero
	février	February	febrero
marzo	mars	March	marzo
aprile	avril	April	abril
maggio	mai	May	mayo
giugno	juin	June	junio
luglio	juillet	July	julio
agosto	aout	August	agosto
settembre	septembre	September	septiembre
ottobre	octobre	October	octubre
novembre	novembre	November	noviembre
dicembre	décembre	December	diciembre
Ripassiamo	**Révisions**	**Revision**	**Vamos a repasar**
Pagina 58	**Page 58**	**Page 58**	**Página 58**
in basso	en dessous	below	abajo
al posto giusto	à leur place	in the right place	en su sitio
Pagina 64	**Page 64**	**Page 64**	**Página 64**
sentiamo i rumori	nous entendons les bruits	we hear the noises	oímos
mezzo di trasporto	moyen de transport	means of transport	medio de transporte

Vocabolario Visuale

Il **Vocabolario Visuale** è uno strumento valido per chi vuole imparare il lessico di base della lingua italiana. Attraverso illustrazioni molto moderne presenta in modo vivace e piacevole oltre 1.000 parole di uso quotidiano: sostantivi, verbi, aggettivi e preposizioni.

Grazie alla sua impostazione semplice e chiara - 40 unità tematiche di una o due pagine ognuna - e alla sua grafica originale e accattivante (combinazione di foto e illustrazioni tridimensionali) può essere utilizzato sia in classe che a casa (individualmente) da alunni e studenti di **ogni età**. Livello: A1 - B1.

Il Vocabolario Visuale può essere usato in modo autonomo, oppure insieme con il cd audio o la audiocassetta che facilitano l'apprendimento della pronuncia. Può, inoltre, essere accompagnato dal Quaderno degli Esercizi che contiene un'ampia scelta di attività finalizzate alla memorizzazione delle parole e può, a sua volta, essere usato in classe o individualmente. È corredato dal libro delle chiavi.

Quaderno degli esercizi

Il **Quaderno degli esercizi** del Vocabolario Visuale è uno strumento valido per chi vuole esercitarsi sul lessico di base della lingua italiana (oltre 1.000 parole di uso quotidiano). Accompagna e completa il Vocabolario Visuale, ma i due libri si possono usare anche indipendentemente l'uno dall'altro.

È composto da 40 unità tematiche che presentano una vasta gamma di brevi attività finalizzate alla memorizzazione delle parole: abbinamenti di immagini e parole, completamento di lettere mancanti, scelta doppia ecc. nonché numerose attività ludiche come cruciverba, paroloni, parole nascoste ecc. Di queste tipologie vengono proposte numerose varianti, in modo da rendere le attività più interessanti e varie, fornendo continuamente nuovi stimoli allo studente e fungendo non tanto da test quanto da piacevole esercitazione. Il libro è completato da esercizi di ricapitolazione. Livello: A1 - B1.

Il *Quaderno degli esercizi* si rivolge a studenti di ogni età e presenta un'impostazione grafica accattivante. È accompagnato da un fascicolo contenente solo le chiavi, per gli studenti che vorrebbero usare il libro in autoapprendimento. Inoltre, esiste il *Libro del professore* che ha un'impostazione grafica identica al Quaderno, ma con gli esercizi risolti.

edizioni EDILINGUA

Progetto italiano 1 T. Marin - S. Magnelli
Corso di lingua e civiltà italiana. Livello elementare

Progetto italiano 2 T. Marin - S. Magnelli
Corso di lingua e civiltà italiana. Livello intermedio - medio

Progetto italiano 3 T. Marin - S. Magnelli
Corso di lingua e civiltà italiana. Livello medio - avanzato

Allegro 1 L. Toffolo - N. Nuti
Corso multimediale d'italiano. Livello elementare

Allegro 2 L. Toffolo - N. Nuti
Corso multimediale d'italiano. Livello preintermedio

La Prova orale 1 T. Marin
Manuale di conversazione. Livello elementare

La Prova orale 2 T. Marin
Manuale di conversazione. Livello medio - avanzato

Video italiano 1 A. Cepollaro
Videocorso italiano per stranieri. Livello elementare - preintermedio

Video italiano 2 A. Cepollaro
Videocorso italiano per stranieri. Livello medio

Video italiano 3 A. Cepollaro
Videocorso italiano per stranieri. Livello superiore

.it D. Forapani
Internet nella classe d'italiano - Attività per scrivere e parlare (CD-ROM)

Vocabolario Visuale T. Marin
Livello elementare - preintermedio

Vocabolario Visuale - Quaderno degli esercizi T. Marin
Attività sul lessico - Livello elementare - preintermedio

Diploma di lingua italiana A. Moni - M. A. Rapacciuolo
Preparazione alle prove d'esame

Scriviamo! A. Moni
Attività per lo sviluppo dell'abilità di scrittura. Livello elementare - intermedio

Sapore d'Italia M. Zurula
Antologia di testi. Livello medio

Primo Ascolto T. Marin
Materiale per lo sviluppo della comprensione orale. Livello elementare

...colto Medio T. Marin
...teriale per lo sviluppo della comprensione orale. Livello medio

Ascolto Avanzato T. Marin
Materiale per lo sviluppo della comprensione orale. Livello superiore

l'Intermedio in tasca T. Marin
Antologia di testi. Livello preintermedio

Al circo B. Beutelspacher
Italiano per bambini. Livello elementare

...rammatica italiana per tutti 1 A. Latino - M. Muscolino
...mentare

www.edilingua.it